frederikke

storm 2.H1

RASMUS

RASMUS

TEKST OG TEGNINGER AF
JØRGEN CLEVIN

GYLDENDAL

Rasmus
© 1945 by Gyldendalske Boghandel,
Nordisk Forlag A/S, Copenhagen.
2. udgave, 7. oplag
Printed in China, 2005
ISBN 87-00-24106-7

Her er en struds

Her er Rasmus

Her er strudsen Rasmus

Solen
skinnede.

Det var
i det store varme land

Der stod en neger med

bare ben.

Han stod og så på det

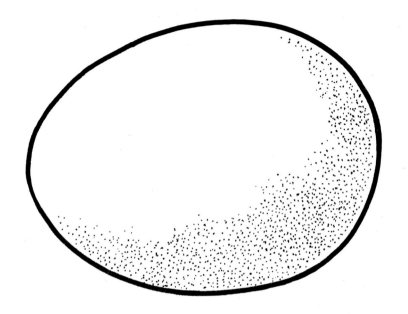

store - STORE æg
som lå i sandet

men

bag en busk stod

Negeren så længe på ægget og løb så hjem.

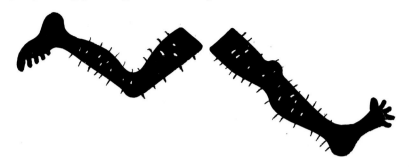

Det blev nat og kun månen
var på himlen.

Strudsemor varmede sit æg for det var meget koldt hver nat.

Næste dag
kl. 10
kom negeren igen
for at se på ægget.

Ægget lå der endnu
og kl. 11
kom der et lille hul i det,

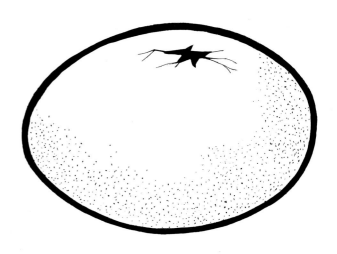

og kl. 12
da solen rigtig
skinnede

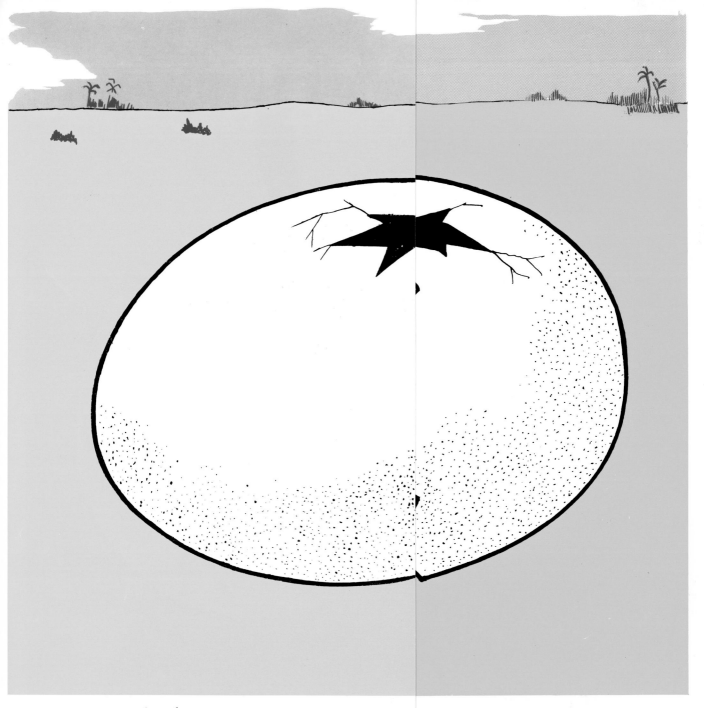

revnede ægget og

Rasmus voksede hurtigt
og blev så stor, så stor.

meget stor

Rasmus fik nu lov til
at gå rundt i sandet helt alene.
Rundt i hele ørkenen gik han.

En dag kom Rasmus langt,
langt væk. Så langt væk
at han ikke kunne finde hjem.

Åh! Det var vel nok synd for Rasmus.

Lige med eet hørte Rasmus
en underlig lyd
og han gemte sit hoved i en lille busk,
så troede Rasmus, at han ikke kunne ses.
Lyden kom nærmere og nærmere

og da Rasmus kiggede op
stod han inde i et bur
med 4 store pæle.

Rasmus løb hurtigt væk
og nu så han at det var
den store giraf.

Sådan gik mange mange dage,
hvor Rasmus løb omkring i alt sandet.

En dag gik Rasmus
ude i ørkenen.
Det var en onsdag.
Pludselig så
han noget
underligt noget.

Hvad var dog det?

En kasse med runde ringe under
og med 3 sjove dyr på
rullede hen over sandet.

Rasmus gemte hovedet i en lille busk,
og da han lang lang tid efter
så op,
stod han inde i et bur
med 4 store pæle.

Denne gang kunne Rasmus ikke
løbe væk - Rasmus var FANGET.
Åh! det var vel nok synd for ham.

Rasmus blev
løftet op

og stillet ind i en kasse
som også havde ringe under.

Nu blev Rasmus kørt i bil.

Rasmus fløj i flyvemaskine

Rasmus sejlede i skib

Rasmus kørte i tog

Rasmus kørte igen i bil.

Da der var
gået
mange
mange
dage
standsede
bilen i
det
lille
land

DANMARK

Døren blev lukket

op

Nu var Rasmus kommet
til KØBENHAVN.

Han skulle ind i Zoologisk Have.

Han blev kørt derind i et lille bur med ringe under

og stillet ind i et andet bur - hvor der var hus og have.

Her var Rasmus hele ugen
både mandag
        tirsdag
        onsdag
        torsdag
        fredag
        lørdag
        og søndag.
Han oplevede mange mange
                underlige ting.

Om mandagen kom en hel masse
mennesker for at se på Rasmus.

Så mange var der

Tirsdag fik Rasmus en ny
dejlig ven. Det var dyrepasseren.

Onsdag var det
regnvejr.

Det havde Rasmus
aldrig før oplevet
så han stod

hele dagen

ude i regnen.

Torsdag kom dyrepasseren forbi
med 2 spande vand.
Han havde en proptrækker
i lommen.
Den spiste Rasmus
uden at dyrepasseren så det -
og dyrepasseren
blev meget forskrækket

da han så

Fredag lå Rasmus hele dagen ved stakittet og så på alle mennesker.

Der kom også en lille dreng

Lørdag skete der ingenting.

Søndag var der igen mange mennesker
ude at se på Rasmus.

Søndag aften var det helt mørkt,
kun månen var på himlen.
Rasmus kom lige med eet til at
                    tænke på Afrika.

Rasmus tænkte på
    den dejlige varme sol
    det dejlige varme sand
    og de små sorte negere.

Måske var en af
de små negere

nu

eller

negerhøvding

Rasmus længtes meget

efter AFRIKA.

Han begyndte nu at græde.

Åh! hvor var det synd for Rasmus.
Den rare dyrepasser kom forbi og
han kunne godt forstå at Rasmus
var ked af det.
     Han
        blev
           også
              ked
                 af
                    det

og de græd begge to.

Rasmus græd nogle dage. Åh! hvor
var det synd for Rasmus. Men hvad
var dog det - Rasmus var jo slet
ikke alene i Zoologisk Have.
Der var jo elefanten
            den store giraf
            næsehornet
            løven
            flodhesten
            og de underlige fugle.
Åh! hvor var det godt for Rasmus.

Det var jo ALLE hans venner fra
AFRIKA.

Nu syntes Rasmus at huset den
boede i var både pænt og rart.
Nu var Rasmus igen glad.
Åh! hvor var det godt.
Rasmus lo og smilede -
den græd aldrig mere.

**Husk nu at du skal være god
mod Rasmus hvis du skulle
møde ham.**

Åh! han er sådan en sjov lille fyr.

Og så må du holde dig munter

for nu

siger Rasmus